RETROUVEZ

DANS LA BIBLIOTHÈQUE ROSE

© Hachette Livre, 2004, pour la présente édition.
Novélisation : Vanessa Rubio.

Hachette Livre, 43, quai de Grenelle, 75015 Paris.

Totally Spies!™

Cookies
Délices

Sam

Cheveux : roux
Couleur préférée : le vert
Sa phrase fétiche : « Bizarre, bizarre…
Bon, récapitulons… »
Qualités : Beaucoup de logique et
un grand sens pratique, c'est souvent
elle qui trouve la clé de l'énigme.
Le petit + : Sam est le cerveau du
groupe. Même en pleine crise, elle
garde les pieds sur terre !

Alex

Cheveux : bruns
Couleur préférée : le jaune
Sa phrase fétiche : « T'en fais pas, on est
là, nous ! »
Qualités : Sensible et attentionnée,
elle est toujours prête à aider ses amies.
Le petit + : Alex est la plus jeune des
Spies, elle est timide et maladroite, mais
tellement adorable !

Clover

Cheveux : blonds

Couleur préférée : le rouge

Sa phrase fétiche :
« Je crois que je suis encore tombée amoureuse ! »

Qualités : Sportive et bagarreuse, elle est toujours partante pour une nouvelle mission !

Le petit + : Clover ne pense qu'à la mode et aux garçons, elle est un peu fofolle, mais on lui pardonne !

Jerry

Sa phrase fétiche :
« Bienvenue au WOOHP, les filles ! »
Qualités : Il a toutes les qualités, forcément, c'est lui le chef !
Le petit + : À chaque mission, il arme les Spies d'une panoplie de gadgets super utiles : crème bronzante paralysante, com-poudrier, sac à dos-parachute…

Mandy

Sa phrase fétiche :
« Bas les pattes, Clover ! »
Qualités : Aucune, c'est une vraie peste, odieuse et prétentieuse !
Le gros - : Elle pique tous les petits copains de Clover. C'est son ennemie jurée !

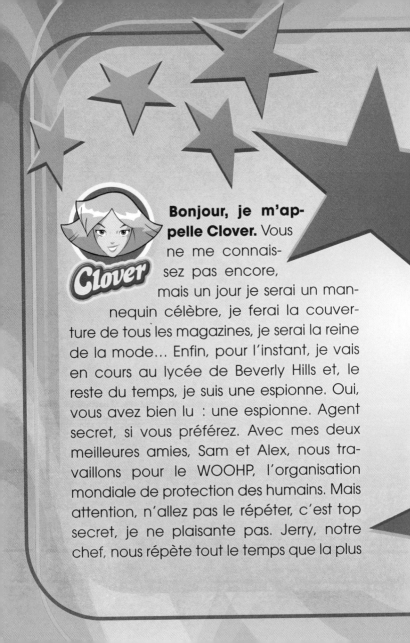

Bonjour, je m'appelle Clover. Vous ne me connaissez pas encore, mais un jour je serai un mannequin célèbre, je ferai la couverture de tous les magazines, je serai la reine de la mode… Enfin, pour l'instant, je vais en cours au lycée de Beverly Hills et, le reste du temps, je suis une espionne. Oui, vous avez bien lu : une espionne. Agent secret, si vous préférez. Avec mes deux meilleures amies, Sam et Alex, nous travaillons pour le WOOHP, l'organisation mondiale de protection des humains. Mais attention, n'allez pas le répéter, c'est top secret, je ne plaisante pas. Jerry, notre chef, nous répète tout le temps que la plus grande qualité d'une espionne, c'est la discrétion. Il nous envoie en mission à l'autre bout de l'univers, mais à notre retour, après avoir arrêté un fou dangereux qui menaçait l'humanité, nous devons retrouver la vie du lycée, l'air de rien. Comme je vous l'ai dit, nous travaillons en équipe : Sam est l'intello du groupe, Alex la plus gentille… Quant à moi, eh bien, je suis, disons, l'élément indispensable du trio. Sportive, dynamique, énergique, j'entretiens très soigneusement ma forme et je pratique une douzaine d'arts martiaux. D'ailleurs, dans notre dernière affaire, j'ai joué un rôle… de poids.

Clover

Chapitre 1

14h15

Centre commercial de Beverly Hills

À votre avis, que peuvent faire trois filles folles de mode par un bel après-midi d'été ? Bronzer au bord d'une piscine ? Se promener au grand air ? Vous n'y êtes pas du tout. Notre sport préféré à nous, les Spies, c'est d'écumer les boutiques. Que le soleil brille ou pas, peu importe. Donc, ce samedi-là, Sam, Clover et moi, nous arpentions les allées du centre commercial. On fait ça TOUS les samedis. Et le mercredi aussi. Parfois même le vendredi, en fin de journée, quand on n'a pas cours. Bref, dès qu'on a un moment de libre, on fonce au centre commercial. Alors, il faut avouer que, à force, les vitrines, on les connaît par cœur. On a déjà tout vu, tout essayé, tout acheté. De quoi être sacrément déprimées !

Sam s'est arrêtée devant une paire de mules mauves en soupirant :

— Déjà vues !

— Déjà achetées ! a poursuivi Alex.

Et j'ai conclu :

— Déjà démodées !

Il n'y avait rien de nouveau, pas la moindre petite robe, pas le moindre petit T-shirt dernier cri à se mettre sous la dent. Nous avancions en traînant les pieds, quand, soudain, mon regard est tombé sur LE chapeau de mes rêves. La vendeuse venait de le mettre en vitrine.

— Regardez ! C'est le chapeau que porte la fille en couverture de *Jeune et belle* !

Sans plus attendre, je me suis engouffrée dans la boutique pour l'essayer. J'ai dû forcer un peu pour l'enfoncer sur ma tête, mais qu'est-ce qu'il était joli !

La vendeuse a toussoté :

— Excusez-moi, mademoiselle, si je peux me permettre, vous devriez essayer la taille au-dessus. Le médium me paraît un peu juste.

Elle l'a repris et m'a tendu le large, avant de s'éloigner pour servir une autre cliente. Je dois avouer que j'étais un peu vexée. Elle insinuait que j'avais la grosse tête ou quoi ?

— Je ne vais pas acheter un large, quand même ! ai-je grommelé. Je ne porte que du extra small !

Sam a haussé les épaules.

— C'est ridicule, Clover. Tu ne vas pas acheter un chapeau que tu ne peux pas mettre !

— Mais oui, a renchéri Alex. Regarde, le large te va très bien.

— Peu importe, c'est une question de principe ! Je ne suis pas grosse, je ne porte pas de large.

J'ai reposé cet énorme chapeau pour éléphant et je suis retournée voir la vendeuse.

— Je voudrais le médium, s'il vous plaît.

— Désolée, je viens de le vendre à cette demoiselle. Et c'était le dernier.

En levant les yeux, j'ai découvert avec horreur que « cette demoiselle » n'était autre que… Mandy ! Mon ennemie jurée ! Celle qui copie toujours mon style et essaie de me piquer tous mes petits copains. Quelle journée maudite !

— C'est pile ma taille ! a-t-elle minaudé en quittant le magasin avec MON chapeau sur la tête.

— Eh bien, voilà, le problème est réglé, a conclu Sam, toujours pratique. Tu n'as qu'à prendre le large.

— Pas question. Si Mandy peut porter du médium, moi aussi, d'abord ! ai-je décrété.

Je me suis tournée vers la vendeuse et j'ai demandé :

— Vous pouvez me le commander pour la semaine prochaine ?

J'entendais les filles soupirer dans mon dos, mais je m'en fichais. Mon honneur était en jeu.

En sortant du magasin, Alex s'est écriée :

— Oh ! Regardez, un nouveau Photomaton. Si on faisait une photo rigolote toutes les trois, pour se changer les idées ?

— Mouais, à condition que je puisse rentrer dedans. Ce n'est pas sûr, avec ma grosse tête, ai-je bougonné.

Nous nous sommes entassées dans la cabine et nous avons pris la

pose comme les drôles de dames…
mais, juste au moment du flash,
le sol s'est ouvert sous nos pieds !
Aaaaaaaah !

Chapitre 2

14h45
Quartier général du WOOHP

Et comme d'habitude, nous sommes tombées dans un long, long tunnel… Ça, c'est la méthode musclée du WOOHP pour nous convoquer au quartier général. Ils nous aspirent comme ça, sans prévenir ! On glisse à toute allure sur une sorte de toboggan géant avant de déboucher dans le bureau de notre grand chef : Jerry. Bien sûr, Alex et Sam ont atterri délicatement sur la grosse banquette rose tandis que moi, je restais coincée dans la trappe. Il n'y avait que mes petites gambettes qui dépassaient.

— C'est ça, d'avoir la grosse tête, a murmuré cette peste de Sam.

— Je te signale que j'ai entendu, ai-je marmonné en me dégageant tant bien que mal, avant de m'écrouler sur elles.

Comme nous ricanions bêtement, Jerry nous a fait les gros yeux.

— Ce n'est pas le moment de s'amuser. L'heure est grave, nous devons agir vite, les filles.

Il a appuyé sur une télécommande. Aussitôt une cloison a coulissé et un écran géant est apparu derrière son bureau. Il nous a montré un film où l'on voyait une meute de gens déchaînés se battre comme des brutes pour une boîte de gâteaux au chocolat.

— Comme vous pouvez le constater, les cookies Délices rendent ceux qui les mangent fous furieux.

Les gens perdent la tête, ils sont prêts à tout pour avoir ces biscuits, a conclu Jerry.

— Qu'est-ce que vous attendez de nous au juste ? a demandé Sam (elle se prend un peu pour la chef, alors c'est toujours elle qui pose ce genre de questions).

— Vous allez infiltrer l'association qui distribue ces cookies, la Joyeuse Compagnie. En uniforme, comme ces jeunes filles, vous irez vendre les gâteaux porte à porte. Il faut à tout prix comprendre ce qui se passe avant que la folie des cookies envahisse toute la planète !

J'ai fait la grimace.

— On va devoir porter ce short ridicule ? Quelle horreur !

— Vous savez, la vie d'espionne n'est pas toujours facile, Clover, a soupiré Jerry. Mais pour compenser, vous serez équipées de gadgets exceptionnels !

Il a alors fait coulisser un tiroir de son bureau pour faire apparaître notre panoplie. À chaque mission, le WOOHP nous fournit des accessoires de haute technologie très utiles et top mode.

— Aujourd'hui, vous emporterez le vaporisateur de parfum paralysant, le bracelet multifonction,

l'appareil photo holographique, la barrette à tête chercheuse et, en prime, ces trois échantillons de crème.

J'ai déchiffré ce qui était écrit sur le tube :

— Crème polaire hydratante.

Tout penaud, Jerry a expliqué :

— Je les ai trouvés dans ma boîte à lettres ce matin. La publicité disait : « protection maximale contre le grand froid », j'ai pensé que ça pourrait vous servir.

— Merci, Jerry ! s'est extasiée Alex, toujours enthousiaste. J'adore les échantillons.

Jerry a souri d'un air modeste.

— De rien, les filles. Vous protéger, c'est mon métier.

Puis notre chef bien-aimé a appuyé sur un bouton et trois cabines d'essayage roses sont sorties du sol.

Moi qui m'attendais à tomber dans un trou, comme d'habitude, j'étais ravie.

— Oh, qu'est-ce que c'est, Jerry ?

— La toute dernière invention du WOOHP : la turbo cabine d'essayage. Elle vous permet de changer de tenue en un clin d'œil tout en vous déposant sur votre lieu de mission.

— Waouh ! Génial ! me suis-je exclamée. On peut l'essayer ?

— Bien sûr, allez-y ! Mais…

J'étais à peine entrée à l'intérieur de ce machin qu'il s'est mis à tourner comme une essoreuse à salade !

— Attention, ne remuez pas trop, les filles ! Je crains que le système ne soit pas encore très au point.

Aaaaaaah ! Sacré Jerry, il n'aurait pas pu le dire plus tôt !

Chapitre 3

Centre de distribution de cookies

Les fameuses turbo cabines du WOOHP ont atterri dans un pré. Elles nous ont éjectées sans ménagement dans l'herbe, vêtues du superbe uniforme de la Joyeuse Compagnie : short mi-cuisse et chemise ornée d'une marmotte dans le dos, le tout vert caca d'oie. En plus, cette cabine de malheur m'avait mis ma chemise à l'envers !

Je me suis relevée en époussetant ce short immonde.

— Franchement, cette mission commence mal.

— Allez ! m'a encouragée Sam. Plus vite on aura fini, plus vite on

pourra enlever cette tenue grotesque.

Nous sommes allées voir la responsable de la distribution des cookies avec notre sourire le plus innocent. Elle avait la carrure d'un joueur de rugby. Vu qu'elle portait le même uniforme que nous, je ne vous dis pas la honte !

Alex a pris une voix de petite fille :

— Coucou ! On vient chercher notre lot de cookies !

Mme Muscle a froncé les sourcils, soupçonneuse.

— Vous n'êtes pas un peu vieilles pour vendre des cookies ?

— Mais non ! C'est que… euh… on est très grandes pour notre âge, a répliqué Sam.

— Humpf ! a grogné l'autre, pas

très convaincue. Qui est votre chef d'équipe ?

— Notre chef, c'est Jerry ! s'est exclamée Alex.

Ah, là, là ! sacrée Alex, elle ferait mieux de réfléchir un peu avant de parler : il n'y a que des filles à la Joyeuse Compagnie ! Heureusement, Sam a rattrapé le coup :

— Euh, oui, Jerryline, enfin Géraldine quoi...

— Ah ? Je ne connais pas, ça doit être un nouveau groupe.

J'ai hoché vigoureusement la tête.

— Oh, oui, oui ! Tout nouveau !

— Bien, voici votre liste de livraisons, a-t-elle dit en nous tendant une feuille. Allez chercher vos cookies dans le camion.

— Merci, madame ! avons-nous

crié en chœur avant de filer sans demander notre reste.

Une heure plus tard, nous étions dans les rues de Beverly Hills, avec notre chariot plein de boîtes de cookies. Sam a lu l'étiquette :

— Cookies Délices parfum menthe-chocolat, un véritable régal pour les palais délicats. Beurk, je déteste la menthe !

Alex a fait la grimace.

— Moi aussi, je trouve que ça a le goût de dentifrice.

Heureusement que j'étais là pour me dévouer.

— Bon, je vais goûter. Pour les besoins de l'enquête, bien sûr.

J'ai ouvert une boîte et croqué l'un des cookies.

— Waouh ! C'est un vrai régal,

ils ont raison ! Juste ce qu'il faut de menthe, et plein de chocolat ! Miam !

C'était trop bon, j'en ai mangé un deuxième, puis un troisième…

— Hé, stop ! Tu vas dévorer tout notre stock ! a protesté Sam en m'arrachant la boîte des mains.

— Oh, allez, s'il te plaît, Sammy ! Encore un petit dernier. C'est pour l'enquête !

— Oui, eh bien, tu as assez enquêté comme ça, Sherlock !

Ça, c'est Sam, elle se croit marrante, mais elle ne l'est vraiment pas ! J'avais une affreuse envie de grignoter un dernier biscuit, juste un, mais rien à faire ! Alex a sorti son appareil photo holographique.

— Je ferais mieux de photographier la pièce à conviction avant qu'elle ne disparaisse.

— Et moi, je vais en envoyer une boîte à Jerry pour qu'il la fasse analyser. Je me demande bien ce que cachent ces mystérieux cookies.

Elle a tapoté sur quelques touches de son com-poudrier et, aussitôt, une boîte à lettres a surgi du trottoir. Elle y a glissé le paquet qui

est parti direct au QG grâce à la technologie hyperperfectionnée du WOOHP.

Puis Sam a consulté la liste de distribution :

— Allez, au travail, les Spies !

Chapitre 4

Devant chez
Shirley Rogers

— Voyons voir ! Commençons
par Shirley Rogers. Une très bonne
cliente de la Joyeuse Compagnie.
En une semaine, elle a commandé
cent cinquante boîtes ! Jerry m'a
fourni sa fiche d'identité complète
avec photo.

Sauf que quand Sam a sonné à la porte, surprise… c'est une dame énoooorme qui est venue nous ouvrir. Rien à voir avec la photo.

— Shirley ? Shirley Rogers ? a bafouillé Sam.

— Oui, c'est bien moi. Ah ! La Joyeuse Compagnie, quelle joie de vous voir. Je vous attendais. Je ne suis pas allée travailler aujourd'hui

pour être sûre de ne pas rater la livraison. Je ne peux plus me passer de vos cookies, regardez !

Elle s'est écartée pour nous laisser voir l'intérieur de la maison. Un vrai capharnaüm ! Des montagnes et des montagnes de boîtes de gâteaux vides s'entassaient un peu partout.

— Évidemment, j'ai pris quelques kilos cette semaine, a-t-elle avoué en caressant ses bourrelets. Mais ce n'est pas grave, ces cookies sont tellement bons ! J'ai même écrit au docteur Aigredoux pour la remercier.

— Le docteur Aigredoux ? a répété Sam, intriguée.

— Oui, Inga Aigredoux, le génie qui a inventé la recette des cookies Délices !

Alors que Sam notait le nom du docteur pour en parler à Jerry, nous avons entendu un grondement dans la rue, comme un roulement de tonnerre. Une foule en délire se ruait sur nous en hurlant :

— Cookies ! Cookies !

— Ouh là ! Je crois qu'on ferait mieux d'y aller ! s'est écriée Sam en prenant le chariot. Au revoir, madame !

— Hé, attendez ! Et mes gâteaux ?

Alex lui a jeté une boîte de cookies alors que nous détalions à toutes jambes. La foule déchaînée gagnait du terrain. Ils avaient vraiment l'air complètement dingues.

— Aaaah ! Et maintenant, qu'est-ce qu'on fait ? a gémi Alex.

— On lâche le chariot et on court ! a ordonné Sam.

Laisser le chariot ? Elle plaisantait ou quoi ? Je n'allais quand même pas abandonner tous ces bons cookies !

— Attendez-moi, je vais en prendre une boîte, rien qu'une !

— Non, Clover ! Tu vas te faire massacrer !

Mais la tentation était trop forte. Un petit cookie, rien qu'un ! Je suis retournée au chariot et, là, tous ces gens déchaînés me sont tombés dessus. Ils se battaient pour prendre le plus de cookies et moi, j'étais en dessous de la mêlée. J'étouffais !

— Au secours !!!

Les filles sont revenues en courant. C'est une règle d'or des Spies : ne jamais abandonner une amie en danger.

Pour une fois, Alex a eu une idée

de génie. Elle s'est servie de son appareil holographique pour faire apparaître une pile de boîtes de cookies virtuelles, grâce à la photo qu'elle avait prise du chariot.

Sam m'a agrippée par le bras afin de m'entraîner loin des fous furieux.

— Allez, on file !

Nous avons couru, couru, couru...

— C'est bon, je crois qu'on les a semés, a-t-elle remarqué. On fait une petite pause, il faut que j'appelle Jerry pour lui raconter tout ça.

Pendant qu'elle sortait son compoudrier, moi, je me suis assise sur un banc, histoire de reprendre mon souffle... et grignoter quelques cookies. Eh oui, j'avais réussi à en subtiliser une boîte dans la bagarre. Maligne, la Clover !

Alex avait l'air inquiète.

— Clover, tu devrais peut-être arrêter de manger ces gâteaux tant qu'on ne sait pas ce qu'il y a dedans.

— Che chais che qu'il y a dedans, ai-je répliqué, la bouche pleine. Un ch'tit goût de paradis.

— Mais tu as vu dans quel état ça a mis tous ces gens !

Sam a refermé son com-poudrier d'un coup sec. Elle faisait une tête d'enterrement.

— C'est l'horreur ! J'ai demandé à Jerry s'il avait fait analyser les cookies que je lui avais envoyés, mais il a déjà tout mangé. Il veut que je lui en envoie d'autres ! Il est accro lui aussi ! On n'a qu'une solution : rendre une petite visite au docteur Inga Aigredoux en Suisse, dans l'usine de production des cookies !

Chapitre 5

10 h 45
Quelque part dans les Alpes suisses

Sans plus attendre, nous nous sommes donc rendues en Suisse avec le jet du WOOHP. C'est un super petit avion privé, décoré aux couleurs des Spies. Et il va à une vitesse supersonique. J'ai juste eu le temps de grignoter quelques cookies et hop ! il fallait rattacher sa ceinture pour l'atterrissage. Là, je dois avouer que j'ai eu un petit problème : impossible de fermer cette maudite ceinture. Alex et Sam n'arrêtaient pas de ricaner. D'accord, j'ai un peu grossi mais ces cookies sont un véritable délice, ils portent bien leur nom !

En tout cas moi, j'étais contente d'avoir quelques kilos en trop parce que, dans les Alpes suisses, il ne fait pas chaud. Alex n'arrêtait pas de grelotter. Et ça ne s'est pas arrangé à l'intérieur de l'usine, toutes les pièces étaient réfrigérées. On nous a fait enfiler une tenue grotesque avec tablier et jupette à fleurs avant de nous faire monter dans un petit train pour la visite des lieux.

— J'en ai assez de cette mission ! ai-je pesté. Niveau mode, c'est n'importe quoi ! D'abord le short couleur caca d'oie et maintenant la jupe de grand-mère !

Alex, elle, jouait le jeu et prenait plein de photos avec son appareil holographique, comme une gentille touriste.

— Arrête de râler, Clover ! Moi, je m'amuse comme une petite folle !

— Tu parles ! Je ne vois pas ce qu'il y a d'intéressant. J'espère au moins qu'il y a une dégustation gratuite à la fin.

— Ça suffit, les filles ! nous a coupées Sam. Je vous rappelle qu'on est là pour le travail. J'ai bien envie de quitter le groupe pour aller explorer les environs.

Et sur ce, elle nous a fait sauter du train. En marche ! Avec mes quelques kilos en trop, j'ai eu un mal fou à m'en sortir.

— Attendez ! Attendez ! Je suis coincée.

En pouffant, Alex a sorti l'échantillon de Jerry de sa poche et m'a aspergée de crème hydratante, puis elles m'ont tirée pour m'extirper de là.

— Ho hisse et ho !

— Voilà, ça glisse tout seul avec de la crème !

Super ! J'ai atterri sur les fesses ! Merci, Jerry !

— Bon, maintenant, si on allait voir l'envers du décor, a proposé Sam en nous montrant une porte qui indiquait clairement « Interdit au public ».

— Et ma dégustation gratuite alors ? ai-je protesté.

Elles ont levé les yeux au ciel.

— Clover !!!

— Bon, bon, d'accord, je me tais. Mais comment va-t-on ouvrir cette porte ?

— Ben, t'es costaude, non ? a fait Alex en me tâtant les biceps.

Et elle avait raison : en deux coups d'épaule, j'ai réussi à l'enfoncer.

— Waouh ! a sifflé Sam, admirative. Pas mal !

J'étais assez fière de moi.

— Ah, vous voyez, ça a du bon finalement d'être un peu enveloppée.

Au bout d'un long couloir, nous

avons débouché dans la salle de fabrication des petits gâteaux.

— Regardez ! C'est affreux ! Les employés sont gavés de cookies pendant qu'ils travaillent, a chuchoté Alex.

Effectivement, une machine leur fourrait un biscuit dans la bouche toutes les cinq minutes.

— On dirait des robots, a remarqué Sam, ils sont complètement hypnotisés.

À voir tous ces gâteaux, je commençais à saliver.

— Miam, ça me donne faim ! Je mangerais bien un petit cookie, moi…

Mais les filles ne m'en ont pas laissé le temps, elles avaient découvert une autre porte, blindée celle-là. Je le sais parce que j'ai à nouveau essayé le coup de l'épaule… et que je me suis fait très mal.

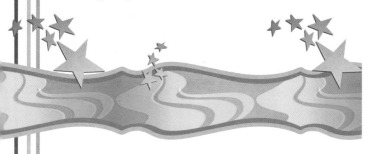

— OUILLE ! Désolée, les filles, je ne vais pas pouvoir vous aider cette fois-ci.

Du coup, Sam a utilisé son bracelet multifonction. Le WOOHP
l'avait équipé d'un minibâton de
dynamite, malin !

Un petit boum et hop ! nous
avons pu entrer dans la pièce top-
secrète. C'était un grand labora-
toire, avec plein de machines
bizarres qui clignotaient, de robots
qui cliquetaient, et de cuves qui
clapotaient…

Le seul petit problème, c'est que
l'explosion de la porte n'était pas
passée inaperçue. Et deux minutes
plus tard, nous avons vu débarquer
deux armoires à glace en costume
de la Joyeuse Compagnie, qui
encadraient une petite bonne
femme avec un immense chignon
gris. Sans doute le fameux docteur
Aigredoux.

— Tiens, tiens ! s'est-elle exclamée. On dirait que nous avons de
la visite.

Puis elle s'est tournée vers ses
deux molosses :

— Attrapez-les !

Elle ne savait pas que les Spies ne
se laissent pas faire aussi facile-
ment. Nous nous sommes battues
jusqu'au bout ! Mais les gardes
étaient armées d'énormes pistolets

qui nous bombardaient de cookies. Je n'ai pas pu résister, je me suis arrêtée pour en grignoter un, puis deux… Les gardes en ont profité et je me suis retrouvée ligotée comme un saucisson ! Sans mon aide, les filles n'ont pas pu résister longtemps. Nous étions toutes les trois prisonnières du docteur Aigredoux, et elle n'avait franchement pas l'air commode !

Chapitre 6

11h30
Laboratoire
secret du
Dr Aigredoux

En pointant sur nous leurs fusils
à cookies, les deux gardes nous ont
fait avancer jusqu'à une énorme
machine et nous ont sanglées sur
des fauteuils bizarres.

— Ça ne me dit rien qui vaille, a

murmuré Sam. On se croirait chez le dentiste.

Le docteur Aigredoux a éclaté d'un rire dément.

— Laissez-moi vous présenter la « Gaveuse », une petite invention de mon cru qui, comme son nom l'indique, va vous gaver comme des oies. Maintenant préparez-vous à subir le supplice du cookie qui tue !

Youpi ! J'allais enfin pouvoir manger autant de cookies que je voulais ! Je ne vois pas pourquoi les filles avaient l'air terrorisées !

Inga Aigredoux a tapoté sur quelques touches, poussé une grosse manette et la gaveuse s'est mise en branle. Quelle invention géniale ! Des bras mécaniques attrapaient des cookies et nous les fourraient sous le nez, même pas besoin de tendre la main, il n'y avait qu'à ouvrir la bouche !

— Miam, miam !

— Non, pas « miam, miam », a rugi le docteur. J'ai mis la gaveuse sur la vitesse maximum, vous aller exploser ! Ha, ha, ha !

D'accord, elle avait inventé ces délicieux cookies… mais elle avait quand même l'air sérieusement dérangée, cette bonne femme. J'ai profité d'un moment d'inattention de sa part pour accrocher discrètement ma barrette à tête chercheuse à son tablier. Elle n'avait rien vu, elle continuait son petit discours.

— Vous savez, moi aussi, j'ai fait partie de la Joyeuse Compagnie, autrefois. J'adorais les cookies, un peu trop, même !

— Et que s'est-il passé ? a demandé Sam.

— J'ai mangé tous mon stock et ils m'ont renvoyée ! Mais l'heure de la vengeance a sonné. Bientôt, plus personne dans le monde ne pourra se passer de mes cookies.

L'un des monstres en short l'a tirée par la manche.

— Excusez-moi, docteur, il est temps de partir pour l'entrepôt.

— C'est vrai. Profitez bien de votre dégustation, les filles… car ce sera la dernière !

Et sur ce, les trois folles du cookie nous ont laissées aux mains de la gaveuse.

Le bras mécanique s'est approché de Sam qui serrait les lèvres avec détermination.

— Qu'est-ce qu'on va faire maintenant ? a demandé Alex.

— Ben, manger des cookies ? ai-je proposé.

Mais quand le bras de la gaveuse s'est avancé vers elle, Alex a détourné la tête.

— Non, merci ! Je ne veux pas devenir accro, moi.

Sam se tortillait comme une folle sur son siège.

— Il doit bien y avoir un moyen de sortir d'ici…

Tout à coup, son petit tube de crème hydratante a giclé de sa poche. Et hop, elle n'a eu aucun mal à se glisser hors des sangles.

— Waouh ! s'est exclamée Alex. Vraiment trop cool, ces échantillons !

Sam nous a détachées, mais je

n'avais pas envie de quitter la gaveuse, moi. Pas avant d'avoir mangé rien qu'un petit cookie !

— Attends, Sammy ! ai-je supplié. C'est presque mon tour.

— Clover, ça suffit avec ces biscuits.

— Ouais, aide-nous plutôt à retrouver le docteur Aigredoux !

— Rien de plus simple, ai-je

répliqué. J'ai accroché ma barrette à tête chercheuse à son tablier ! Il suffit de repérer le signal qu'elle émet sur notre com-poudrier. Et on va la retrouver, la dingo des cookies !

Alors là, ça les a scotchées ! Et toc !

Chapitre 7

15h20
Quelque part en Islande

En suivant les indications de la barrette à tête chercheuse, nous nous sommes retrouvées dans un endroit encore plus froid que les Alpes… en Islande !

Alex n'arrêtait pas de claquer des dents.

— Gla-gla-gla ! Le docteur Aigredoux a un problème avec la chaleur ou quoi ? Pourquoi elle choisit toujours des endroits où il gèle ?

— Mmm… C'est bizarre, plus que bizarre, même ! a murmuré Sam d'un air pensif.

— Si seulement j'avais mon chapeau en taille médium, j'aurais

moins froid aux oreilles, ai-je remarqué.

Sam a étudié l'écran de son compoudrier.

— Le signal de la barrette provient de cet immense entrepôt gris. Allons-y.

Pendant que nous faisions le guet, Sam a forcé la porte avec son bracelet multifonction. Cette fois, elle a été plus discrète, elle a crocheté la serrure avec la lime à ongles.

— C'est pas possible ! a gémi Alex en entrant dans l'entrepôt. À l'intérieur, il fait encore plus froid !

Je n'en croyais pas mes yeux. Il y avait des dizaines, des centaines, des milliers de boîtes de cookies empilées du sol au plafond. J'en avais l'eau à la bouche.

Mais Sam m'a tirée par la manche.

— Hé ! Ne rêve pas, Clover. Les cookies, pour toi, c'est fini.

Des pas ! Vite, nous nous sommes cachées derrière les caisses de biscuits.

Le docteur Aigredoux arrivait, encadrée de ses fidèles armoires à glace en short. Elle avait l'air sur-excité.

— Ah, j'ai hâte que tout soit réglé. Quand tous ces cookies auront été livrés partout dans le monde, mon triomphe sera total !!!

— Non, mais vous l'avez entendue ? ai-je chuchoté. Elle ne doute de rien, celle-là.

— Comme la plupart des savants fous, a soupiré Sam.

Alex, qui grelottait toujours, a bégayé :

— M-m-moi, je me de-de-demande quand même d'où lui vient cette pa-pa-passion pour les températures po-po-polaires !

Et là, en mettant les mains dans mes poches pour les réchauffer, j'ai compris.

— Moi, je parie que c'est à cause des cookies. Regardez…

J'ai sorti de ma combinaison un biscuit tout dégoulinant.

— … la chaleur les fait fondre. Oh, c'est dommage, c'était le der-

nier qui me restait ! Quel gâchis !

Le visage de Sam s'est soudain éclairé.

— Oh, oh, je crois que j'ai une idée !

En nous montrant l'énorme climatiseur chargé de refroidir l'entrepôt, elle a ajouté :

— Ça vous dirait de réchauffer

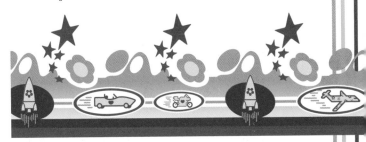

un peu l'atmosphère, les filles ? Je vais monter la température de l'entrepôt, occupez-vous des gardes.

Elle s'est élancée en courant pendant qu'Alex et moi nous nous efforcions d'arrêter les molosses. Enfin, surtout moi, parce que la pauvre Alex, face à ces monstres, elle ne faisait pas le poids. J'ai affronté la plus énorme en face à face, un vrai combat de sumos !

Je me suis bien débrouillée...
mais je dois avouer que, à la fin, je
l'ai achevée avec un petit pschitt
de parfum paralysant, ni vu ni
connu. Ça sert à ça, les gadgets !

Pendant ce temps, à l'autre bout
de l'entrepôt, Sam tripotait toutes
les manettes pour essayer de faire
remonter la température am-
biante.

Un gros molosse s'est jeté sur elle par derrière.

— T'as besoin d'un coup de main, Sam ?

— Non, non, ça va.

Et hop, elle a refait le coup de la crème hydratante, elle en a versé un peu par terre, le pauvre gars a patiné et s'est étalé de tout son long.

— C'est vraiment le meilleur gadget que le WOOHP nous ait jamais fourni ! Bon, ça y est, la température augmente…

— Oui, regardez, les cookies fondent à vue d'œil, a constaté Alex.

— Oh, ça me fend le cœur, ai-je gémi. Tous ces bons cookies gâchés !

Il y en avait une autre à qui ça ne faisait pas plaisir : le docteur

Aigredoux. Elle est arrivée en courant, complètement paniquée.

— Mes cookies ! Ne touchez pas au thermostat, vous allez tout détruire. C'est le point faible de ma recette, il faut les garder à dix degrés maximum.

Elle a voulu se jeter sur Sam, mais je l'ai attrapée par le fond de son pantalon, pendant qu'Alex lui fourrait de force un cookie dans la bouche.

— Vous voulez des cookies ? En voilà ! Allez ! un cookie pour maman, un cookie pour papa...

Au bout de quatre ou cinq gâteaux, Inga Aigredoux s'est mise à enfler, enfler, enfler ! Elle est devenue énorme. Puis elle s'est ruée sur les caisses dégoulinantes de chocolat.

— Cookies ! Cookies !

Et voilà, une fois de plus, nous avions sauvé l'humanité d'un terrible danger !

Comme d'habitude, les hommes

du WOOHP ont débarqué après la bataille. Le docteur Aigredoux était en train de se gaver de cookies, ils n'ont eu qu'à la cueillir. Du moment qu'on lui laissait un biscuit dans la bouche, elle se laissait faire bien gentiment.

Un gros bonhomme à moustache est venu nous serrer la main. Ça alors, c'était Jerry, je ne l'avais pas reconnu.

— Merci, les filles ! Beau travail.

— Alors vous avez trouvé l'ingrédient secret que le docteur Aigredoux met dans ses cookies ? a demandé Alex.

— Oui, il s'agit d'un concentré sucré hypercalorique créant une dépendance immédiate aux cookies Délices.

Sam a toussoté.

— Hum ! Excusez-moi, Jerry, mais si j'en crois vos quelques kilos en trop, le WOOHP n'a pas encore trouvé de remède…

Effectivement, il avait doublé de volume. Comme moi.

— Nous y travaillons. Normalement l'antidote devrait annuler l'effet de dépendance et brûler la masse de graisse.

J'ai écarquillé les yeux.

— Comment ça, « normalement » ?

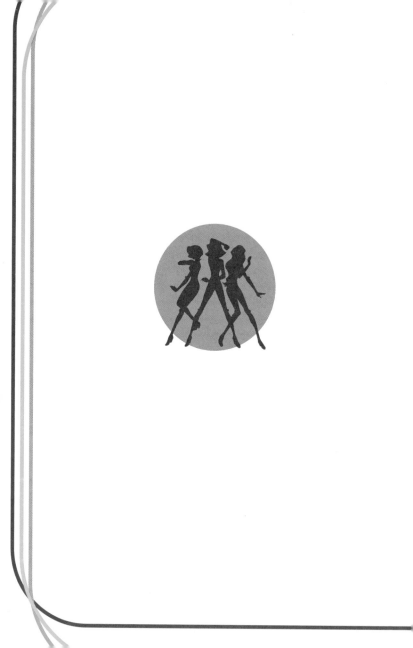

16h00
Centre commercial de Beverly Hills

Ah, enfin ! Quel plaisir de revoir notre cher petit centre commercial, ses magnifiques boutiques, ses vitrines alléchantes… J'avais une folle envie de dévaliser les magasins ! Car ouf et re-ouf, j'avais retrouvé ma taille de guêpe !

En tourbillonnant sur moi-même comme une toupie, je me suis tournée vers mes amies.

— Bon, alors, qu'est-ce que vous voulez faire, les filles ?

— On pourrait aller à la cafétéria, a proposé Sam. Il paraît qu'il y a une dégustation gratuite de cookies.

Alex s'est mise à pouffer, mais moi, ça ne me faisait pas rire.

— Ha-ha-ha ! Très drôle !

J'ai boudé quelques minutes puis, soudain, j'ai eu une idée.

— Hé ! Je sais ce que je dois faire ! Venez avec moi !

Vite, j'ai foncé à la boutique où j'avais vu ce fameux chapeau.

— Ah, ils ont enfin reçu la taille médium ? a demandé Sam.

— Non, j'ai décidé de le prendre en large, finalement.

Clover et Sam n'en revenaient pas.

— En large ?!?

— Eh oui ! Tout bien réfléchi, à côté de la taille que je faisais il y a quelques jours, prendre un chapeau en large n'a rien de dramatique. L'essentiel, c'est d'être à l'aise dans ses vêtements, et bien dans sa peau !

J'ai enfoncé le chapeau sur ma tête et j'ai souri à mon reflet dans la glace. Il m'allait vraiment à merveille.

Mais, comme toujours, il a fallu que Sam ait le dernier mot :

— Eh bien, la rumeur se confirme. Il y a bien un cerveau dans cette grosse tête !

— Très drôle !!!

Table

Dans la même collection...

Cinq collégiennes
douées de pouvoirs
surnaturels.

Mini, une petite fille
pleine de vie !

Fantômette,
l'intrépide
justicière.

Avec le Club des Cinq,
l'aventure est toujours
au rendez-vous.

Kiatovski, le détective
en baskets qui résout
toutes les enquêtes.

Dagobert,
le petit roi
qui fait tout à l'envers.

Rosy et Georges-Albert,
le duo de choc
de l'Hôtel Bordemer.

Avec Zoé,
le cauchemar devient
parfois réalité.

Imprimé en France par **Partenaires-Livres®**
n° dépôt légal : 51760 - octobre 2004
20.20.0955.02/3 ISBN : 2-01-200955-7
Loi n° 49-956 du 16 juillet 1949
sur les publications destinées à la jeunesse